Tú Eres Muy Especial

TÚ ERES MUY ESPECIAL

ESCRITO POR SU BOX

ILUSTRACIONES DE SUSSIE POOLE

ALBATROS
TUS MARAVILLAS

Título original: You are very Special
Copyright ilustraciones © 1996 Sussie Poole
Copyright © Lion Publishing plc 1996
Quedan afirmados los derechos intelectuales de autor e ilustrador
Edición Original: Publicado por Lion Publishing plc / Sandy Lane West, Oxford, England
Todos los derechos reservados.

Para esta edición:
Diseño: María Laura Martínez
Dirección: Lic. Lucía Molteni
Asesora de redacción: Prof. Cecilia Repetti

I.S.B.N. 950-24-0786-5

Se ha hecho el depósito que marca la ley 11.723 —.

© Copyright 1997 by Editorial Albatros, SACI
Hipólito Yrigoyen 3920, Buenos Aires, República Argentina

Búsquenos en la Word Wide Web en
http://www.editores.com/albatros
E Mail: Albatros@editores.com

Este libro es acerca de alguien muy especial:

ese alguien eres <u>TÚ</u>.

Escribe aquí tu nombre:

....

....

PIENSA EN ALGUIEN QUE QUIERAS MUCHO:

MAMÁ, PAPÁ, UN AMIGO.

PARA ELLOS TÚ ERES ESPECIAL.

En el mundo hay muchísima gente:
grandes y chicos, blancos y negros,
varones y mujeres...
Y cada uno es diferente a los demás.
¡Cada uno es único!

Tu cuerpo es sorprendente,

y cada parte de él es maravillosa:

tus ojos, tus oídos, tu nariz.

¿Qué otras partes de tu cuerpo

puedes señalar?

Puedes escuchar tu respiración,
y hasta sentir cómo late tu corazón.
¿Sabías que tu cuerpo
sigue trabajando mientras duermes?

Mira las rayas finitas que hay en tus dedos:
son tus huellas digitales.
¿Sabías que nadie más las tiene así?
¡Nadie en todo el mundo!

ALGUNOS CHICOS PREFIEREN CORRER Y GRITAR;

A OTROS LES GUSTA SENTARSE Y PENSAR;

OTROS BUSCAN SIEMPRE ALGO PARA HACER.

TÚ, ¿QUÉ PREFIERES?

¡SER ÚNICO NO QUIERE DECIR SER PERFECTO!
A VECES HACES COSAS QUE PUEDEN LASTIMAR

A OTROS.

PERO POR SUERTE PUEDES PEDIR PERDÓN

Y RECONCILIARTE.

Todos queremos a alguien.

A veces le decimos "te quiero",

o le damos un abrazo, o un beso.

A ti, ¿de qué forma te demuestran que te

quieren?

TAMBIÉN ERES ESPECIAL PARA TUS AMIGOS.

AUNQUE A VECES SE PELEEN O NO ESTÉN

DE ACUERDO EN ALGO,

LES GUSTA ESTAR CONTIGO Y A TI, CON ELLOS.

PARA LOS DEMÁS ES MUY IMPORTANTE
SABER QUE LOS QUIERES.
Y CUANDO VES A ALGUIEN FELIZ POR ESO,
TÚ TAMBIÉN TE SIENTES MUY BIEN.

¡CUANTAS COSAS HACEN QUE SEAS ESPECIAL!
CIERRA LOS OJOS E IMAGINA A ALGUIEN MUY,
PERO MUY ESPECIAL.

AHORA DA VUELTA
LA PÁGINA, ¿QUÉ VES?

Hᴀʏ ᴀǫᴜÍ ᴜɴᴀ ᴘᴇʀsoɴᴀ ᴍᴜʏ ᴇsᴘᴇᴄɪᴀʟ.
¡Esᴀ ᴘᴇʀsoɴᴀ ᴇʀᴇs ᴛÚ!